CHICANOS

Guión de

CARLOS TRILLO

Dibujo de

EDUARDO RISSO

NORMA
Editorial

OTROS TÍTULOS DE EDUARDO RISSO

- YO, VAMPIRO
(guión de Carlos Trillo)

- LOS MISTERIOS DE LA LUNA ROJA
(guión de Carlos Trillo)

- CAÍN
(guión de Ricardo Barreiro)

CHICANOS 2. Asesinatos y muy mala suerte. (Col. Comic Noir nº12) Marzo de 2006
Publicación de NORMA Editorial, S. A. Pg. de Sant Joan, 7 08010 Barcelona
Tel.: 93 303 68 20. Fax: 93 303 68 31. E-mail: norma@normaeditorial.com
 Presidente: Rafael Martínez. Director general: Óscar Valiente. Director financiero: Vicente Campos. Edición: Eva Alonso, Álex Fernández y Carles M. Miralles. Marketing: Eduardo Quindós. Derechos internacionales: Leticia González. Representación de autores: Jesusa Iglesias. Jefe de producción: Marià Martí. Coordinación de producción: Flor Castellanos. Diseño gráfico: Manu Ansemil, Alberto Basanta, Jordi Carlos, Vanessa M. Bayó, Verónica Pérez, Leo Pérez, Pau Serra y Héctor Tomás. Contabilidad: Rosa García y Ángeles Marcos. Departamento comercial: Mónica Ávila, Rafael Gómez, Sandra Pellicer y Dolors Romero. Distribución: Xavi Domènech y Sergio Gómez. Internet: Albert Badosa. Prensa: Josefina Blaya. Comunicación: Iván Clemente. ISBN: 84-9814-425-6. Depósito legal: B-34115-2005. Printed in the EU.

www.NormaEditorial.com

PUF... NI SIQUIERA ESTO ME SALE BIEN...
Y SI NO CONSIGO PRONTO UN CLIENTE, VOY A ENTRAR EN BANCARROTA.
QUIZÁ DEBERÍA DEDICARME A OTRA COSA.
AUNQUE MI MADRE SIEMPRE PENSÓ QUE YO HABÍA NACIDO PARA ESTO.
con cariño
Mamá

9-1

¡ALEJANDRINA!
¿ALEJANDRINA?
SSSHHHH...
¿SE PUEDE SABER QUÉ ESTÁS HACIENDO AHÍ?
ESPIANDO AL AURELIANO, PERO SI GRITAS TANTO YA NO LO VOY A PODER ESPIAR MÁS SIN QUE SE DÉ CUENTA...
¿Y QUÉ ES LO QUE HACE EL AURELIANO TAN INTERESANTE PARA QUE LO ESTÉS ESPIANDO?
¿VISTE QUE EL JOAQUÍN SIEMPRE SE QUEJA DE QUE ALGUIEN LE ROBA LAS BOTELLAS QUE LE DEJA EL LECHERO? PUES ACABO DE VER CON ESTOS OJOS QUE ES EL AURELIANO.
CARAMBA. ¿Y POR QUÉ EL AURELIANO HACE ESO?
NO SÉ, PARECE QUE LO TIENE ENTRE CEJA Y CEJA, PORQUE TAMBIÉN DESCUBRÍ OTRA COSA. ¿VISTE QUE LA MUJER DEL JOAQUÍN LE CUIDA EL BEBÉ A LA MUJER DEL AURELIANO CUANDO ELLA VA A HACER LAS COMPRAS?
SÍ.
PUES EN CUANTO LA MUJER SALE, EL AURELIANO LA AGARRA A LA MUJER DEL JOAQUÍN PARA METERLE MANO POR TODAS PARTES DEL CUERPO.
9-2

VEN AQUÍ, SABELOTODO.
ESO QUE ACABAS DE HACER ESTÁ MUY MAL.
PERO AHORA QUE YA LO HICISTE, NO HAY REMEDIO.
ASÍ QUE DEBERÁS PROMETERME UNA COSA.
NI SE TE OCURRA COMENTAR CON NADIE LO QUE ACABAS DE VER.
EL HUSMEAR EN LAS VIDAS DE LOS DEMÁS TRAE DESGRACIAS.
Y EL DECIR LO QUE SE HA HUSMEADO, TRAE MÁS DESGRACIAS TODAVÍA.
¿TE HA QUEDADO CLARO, ALEJANDRINA YOLANDA JALISCO?
SÍ, MAMACITA.
PERO SI TE ENTERAS DE ALGO MÁS, NINGÚN MAL COMETERÁS SI ME LO DICES A MÍ Y A NADIE MÁS QUE A MÍ. ¿ESO TAMBIÉN TE HA QUEDADO CLARO?
SÍ, MAMACITA.
AHORA DEBO SALIR A HACER UNAS COMPRAS. Y A MI REGRESO QUIERO VER QUE HAYAS TERMINADO LOS DEBERES DE LA ESCUELA.
SÍ, MAMACITA.

HOLA, VECINA.
PP
¿A QUE NO SABES DE QUÉ ACABO DE ENTERARME?
ME LO ACABA DE DECIR LA JALISCO... BSBSBBSSSBSS... Y EL AURELIANO... BSBSBSSBBSSS... PERO NO SE LO DIGAS A NADIE...
NO, TE LO JURO POR LA VIRGENCITA...
¿SABES QUE ME ACABA DE CONTAR LA CLORINDA QUE LE CONTÓ LA JALISCO?
QUE BSSSBSSBSS BSSSBBS...
LA VERDAD, NO SÉ POR QUÉ MI MADRE ME PEDÍA QUE GUARDARA SECRETO SI ELLA SE LO CONTABA A TODO EL MUNDO.
EN LO QUE SÍ TENÍA RAZÓN ERA QUE EL HUSMEAR EN LA VIDA DE LOS DEMÁS TRAÍA DESGRACIAS.
9-4

¡AURELIANO!
¡NO TE DESGRACIES, JOAQUÍN! ¡NO TE DESGRACIES!
¡EL QUE SE VA A DESGRACIAR ES EL AURELIANO POR LO QUE TE HA HECHO, MUJER!
¡VEN AQUÍ, DESGRACIADO!
¿¡A QUIÉN LE DICES DESGRA-CIADO!?
¡A TI, INFELIZ!
¿¡Y SE PUEDE SABER POR QUÉ!?
¡NO LE HAGAS CASO, AURELIANO! ¡NO LE HAGAS CASO!
SÍ, SE PUEDE. PORQUE DEBES SABER QUE SI BIEN TÚ TE HAS METIDO CON MI MUJER, YO HACE RATO ME HE METIDO CON LA TUYA, CORNUDO.
¡HIJO DE PUTA!

LE ROMPIÓ ALGO EN LA CABEZA PORQUE EL JOAQUÍN NO SE LEVANTÓ MÁS.
AL AURELIANO LO METIERON PRESO POR ASESINATO.
Y AUNQUE POR LO QUE YO HABÍA VISTO OCURRIÓ UNA DESGRACIA, MI MAMACITA SIGUIÓ ALENTÁNDOME A HUSMEAR EN LAS VIDAS DE LOS DEMÁS.
DECÍA QUE YO,,, ¿QUÉ ERA LO QUE DECÍA?
NO SÉ, DEBE DE SER PORQUE ES TAN POQUITA COSA, O TAN SIN GRACIA, O TAN FEA, QUE LA GENTE EVITA MIRARLA Y TERMINA POR NO VERLA.
SI TE DIGO QUE HASTA YO A VECES LA BUSCO EN NUESTRA PROPIA CASA Y NO LA ENCUENTRO Y RESULTA QUE AL FINAL LA TUVE SIEMPRE A LA VISTA,,,
ES COMO SI HUBIERA NACIDO PARA ESPIAR LO QUE HACEN LOS DEMÁS SIN QUE NADIE SE DÉ CUENTA.
ASALTO Y MUERTE
MMMMHHH,,,
A PROPÓSITO,,, ¿HAS VISTO SI HA SALIDO A JUGAR?
ESTOY ACÁ, MAMACITA.
VEN AQUÍ QUE QUIERO PREGUNTARTE ALGO, ALEJANDRINA.
SÍ, MAMACITA.
DIME, ¿AVERIGUASTE ALGO MÁS SOBRE LO QUE PASA ENTRE LA CLORINDA Y EL RICARDO?
SÍ, AYER LOS ESCUCHÉ CUANDO DECÍAN QUE EL LUNES SE ESCAPARÍAN EN CUANTO EL PADRE DE LA CLORINDA SE FUERA A TRABAJAR.
9-6

POBRE RICARDO. NUNCA LLEGÓ AL LUNES.
¡DESHONRASTE A MI HIJA, MALNACIDO!
¡PADRE, NOOO!
SÍ, LA VERDAD ES QUE MI MADRE ME ALENTÓ MUCHO EN LOS COMIENZOS DE MI PROFESIÓN.
SI HASTA PODRÍA DECIR QUE ELLA ME DIO MI PRIMER CASO...

VEN AQUÍ, ALEJANDRINA YOLANDA, QUE TE DARÉ UNAS MONEDAS SI HACES LO QUE TE PIDO.
QUIERO QUE SIGAS A TU PADRE APENAS PASE LA PUERTA.
QUIERO QUE LO SIGAS A TODAS PARTES, VAYA DONDE VAYA.
Y QUE DESPUÉS VENGAS A CONTARME DÓNDE Y CON QUIÉN ESTUVO.
SÍ, MAMACITA.
7UP
BAR
BAR
Cielito Lindo
CAFE - RESTAURANTE
AY, ME VA A VER.
AY, ME VA A VER.

7UP
BAR Cielito Lindo
MUEBLERIA
AY, ME VA A VER.
AY, CREO QUE YA ME VIO.
AY, CREO QUE NO ME VIO NADA.
Y BUENO, MI MADRE ME DIJO QUE LO SIGUIERA A TODAS PARTES.
Y SI NO ME VIO HASTA AQUÍ, NO ME VA A VER JUSTO AHORA.

DEBE DE SER CIERTO ESO QUE DIJO MI MAMACITA DE QUE NADIE REPARA EN MÍ.
AAAHHH,,,
MÁÁÁÁS,,, ASÍÍÍ,,,
OOOOOHHH,,,
AAAYYY,,, AAAY,,,
AAAY, EMILIANO,,, AY QUE ME MATAS, EMILIANO JALISCO,,,
CAPAZ QUE TENGO EL DON DE VOLVERME INVISIBLE Y HASTA AHORA NO ME HABÍA DADO CUENTA
¿Y AHORA QUÉ HAGO?
AY, AY AAAAAY, JALISCO QUÉ MACHO EREEES,,,
AAAAA YYYYY,,,
,,,¿QUÉ ES ESE AIRE QUE ESTÁ ENTRANDO, JALISCO?
A,,, AAAAH,,, AIRE, NOMÁS, SI,,, SIGUEEE,,,
9-10

NO ME VIO, AYY.

CAPAZ QUE SI ME VEÍA NO HABRÍA PASADO LO QUE PASÓ.

PORQUE CLARO, UHH, YO NUNCA LE PUDE MENTIR A MI...

...MAMACITAA AAAAAAYYYY

EMILIANO...

¿SABES UNA COSA, EMILIANO? TE EXTRAÑO MUCHO CUANDO ESTÁS FUERA DE CASA.
¿HUM?
AHÁ.
FINAL VIOLENTO

Y POR ESO VOY A ASEGURARME DE QUE NO SALGAS MÁS, AMOR MÍO.

UHH.
Y BUENO...
PRRR... SE CAYÓ LA TONTA... SE CAYÓ... PRRR.
...A FIN DE CUENTAS, SOY DETECTIVE GRACIAS A ELLA.
AUNQUE...
...A JUZGAR POR LOS RESULTADOS QUE TUVO MI PRIMER CASO, A VECES ME PREGUNTO...
...¿NO DEBERÍA HABERME DEDICADO A OTRA COSA?
RISSO
9-12

A.Y.JALISCO
EYE

ADELANTE, ESTÁ ABIERTO.
A.Y.JALISCO
EYE

¿SEÑORITA JALISCO?

DEPENDE,,,
¿DE QUÉ?
DEPENDE DE QUIÉN,,,
,,,SEA EL QUE PREGUNTE POR MÍ.
CA,,, RAMBA ,,,
¿ES,,, ES USTED ALEJANDRINA YOLANDA JALISCO, LA,,, LA DETECTIVE PRIVADO?

10-1

LA MISMA. ¿POR QUÉ LA SORPRESA?
N-NO... NO SÉ... CR... CREO QUE ES... ES-PERABA OTRA COSA...
ÉSA ES UNA FRASE MUY TRILLADA, MUÑECO. MEJOR EMPIEZA POR DECIRME QUIÉN ERES Y QUÉ TE TRAJO POR AQUÍ.
S-SOY... AN... ANTHONY MAIDEN... Y... Y PUEDES LLAMAR-ME TONY...
ME... ME TRAE QUE... QUE QUERÍA AVERIGUAR SI MI ESPOSA ME... ME ERA INFIEL PE... PERO AHORA QUE... QUE TE VEO... ALEJANDRINA YOLANDA...
...CREO QUE ESO YA NO ME IMPORTA.
UN MOMENTO, SEÑORITO...

10-2

¿SE PUEDE SABER QUÉ HACES DISFRAZADA DE VAMPIRESA?
AY, MADRE,,,
SIEMPRE HA QUERIDO PASAR POR LO QUE NO ES.
VÉALA USTED, SI NO, CÓMO ME HA SALIDO TAN DESPERFECTA QUE NI PARECE CARNE DE MI ESTIRPE.
AY, MADRE,,,
Y ENCIMA SE LE HA DADO POR HACER DE DETECTIVE PRIVADO, JUSTO ELLA, QUE NI PARA ESPIAR AL PADRE ME HA SERVIDO.
N-NO,,, NO ME HAGA ESTO, MADRE,,,
SI HASTA HAY VECES QUE CUANDO ME PREGUNTO CÓMO HE PARIDO SEMEJANTE CUCARACHA,,,
,,, ME AGARRAN GANAS DE PISARLA, VEA.
NO,,, NO LO HAGA,,,
AYYYY...

10-3

¡¡QUE NO LO HAGA, DIJE MADRECITAA AAAAAYYYY!!
¿ALEJANDRINA?
¿EH?
¿SE PUEDE SABER QUÉ HACES GRITANDO AHÍ ABAJO?
NADA, JE. ME DORMÍ Y TUVE UN SUEÑO DE LO MÁS RARO.
SOÑÉ QUE YO ERA COMO LA LAUREN BACALL Y QUE UN CLIENTE MUY GUAPO NO PODÍA RESISTIR MIS ENCANTOS Y,,,
,,,YA SÉ, EN VEZ DE SOÑAR ESTUPIDECES, TENDRÍA QUE VER DE CONSEGUIR ALGÚN CLIENTE, PERO AQUÍ ME VES. TODO EL DÍA SENTADA Y NADA. LA MALA SUERTE SE HA ENSAÑADO CONMIGO, MARITA.
AY, ALEJANDRINA. LO TUYO NO ES SÓLO UNA CUESTIÓN DE SUERTE. DEBERÍAS CAMBIAR DE ACTITUD SI QUIERES QUE TU VIDA MEJORE.
A.Y. JAL
PRIVATE E
8 am 12
NUNCA HABÍA PENSADO QUE LO MÍO ERA UN PROBLEMA DE ACTITUD.
Y,,,SI TE MOSTRARAS MÁS SEGURA, SI TE HICIERAS RESPETAR UN POCO MÁS, SI,,,
EH, TÚ,,,

10-4

ME DEBES VARIAS SEMANAS DE ALQUILER. ¿CUÁNDO ME PIENSAS PAGAR?
YO... YO... NO HE TENIDO MUCHO TRABAJO ÚLTIMAMENTE Y...
A.Y. JALISCO PRIVATE EY
ME IMPORTA UN COMINO, NENA, SI NO ME PAGAS EN DOS DÍAS TE PONDRÉ DE PATITAS EN LA CALLE CON TODAS TUS PORQUERÍAS. ¿HAS ENTENDIDO?
BU... BUENO... YO...
PARA EMPEZAR, MIS COSAS NO SON PORQUERÍAS. EN SEGUNDO LUGAR, ESTE LUGAR QUE USTED ME ALQUILA SÍ ES UNA PORQUERÍA Y UNA PORQUERÍA MUY CARA. TERCERO, NO NECESITA GRITARME QUE YO NO SOY NINGUNA SORDA Y...
...Y CUARTO, YO TE GRITO TODO LO QUE QUIERO Y DIGO LO QUE ME VENGA EN GANA. Y SI NO TE GUSTA, PUEDES IR BUSCÁNDOTE OTRO LUGAR. ¿AHORA SÍ TE HA QUEDADO CLARO?
Y... SÍ...
¿LO VES? POR MÁS QUE LO INTENTE, NO ME SALE.
Cage aux folles
JVC
ALITY AUDIO
tkstks
HOT Roasted Chesnuts
PEPSI
7UP
DEBE DE SER ALGO FÍSICO QUE PROVOCA QUE LA GENTE SIENTA DESEOS DE ESCUPIRME.
TÚ NO TIENES NADA FÍSICO, ALEJANDRINA. NI SIQUIERA ERES FEA, ES SÓLO QUE DEBERÍAS... NO SÉ... QUIZÁ CUIDARTE UN POCO MÁS...
10-5

BOY SCOUT COU
TO PRESIDENT OR GOVE
OUT HEROIN OF U.S
SÍ, QUIZÁ TENGAS RAZÓN. SI NI YO MISMA ME QUIERO MUCHO, ¿CÓMO PUEDO LOGRAR QUE LOS DEMÁS ME QUIERAN AUNQUE SEA UN POCO?

DEBERÍA EMPEZAR ALGUNA CLASE DE DIETA, IR A UN GIMNASIO PARA MEJORAR MIS FORMAS ...

...O DEBERÍA CONFORMARME CON LO QUE DIOSITO ME HA DADO Y DEJARME DE SOÑAR CON IMPOSIBLES.
WALK

JAMÁS SERÉ COMO ESAS RUBIAS DELGADAS Y ESBELTAS QUE TANTO GUSTAN AHORA.

ADEMÁS, ¿DÓNDE ESTÁ ESCRITO QUE UNA DETECTIVE PRIVADO TENGA QUE SER UNA HERMOSURA PARA QUE LA GENTE CONFÍE EN SUS FACULTADES...?
¡¡EEEEHHH!!

10-6

¡¡ESE HIJOPUTA ME ROBÓ MI CARTERA, MARITA!!
¡¡NO PIENSES TANTO, MUJER, Y CORRE, QUE SE LLEVA TODAS TUS COSAS!!
ES CIERTO, TODAS MIS COSAS, DIOSITO.
HASTA LOS ÚLTIMOS DINERILLOS QUE TENGO EN ESTE MUNDO, AY.
DEBO HACER COMO ME DIJO MARITA Y MOSTRARME MUY SEGURA DE MI MISMA.

¡PÁRATE AHÍ MISMO, DESGRACIADO!
NO TRESPASSING
¡DIJE QUE TE PARARAS!
¡SUÉLTAME, IDIOTA!
UGH.
10-7

DAME MI CARTERA.
¿Y SI NO TE LA DOY, QUÉ?
PUES TE LA SACO A LA FUERZA.
¡AUCH!
¿TÚ ME PEGASTE, SORETE DE BURRO?
PARECE QUE SÍ.
Y PARECE QUE MARITA TENÍA RAZÓN.
HAY QUE DEMOSTRAR UN POCO DE SEGURIDAD PARA QUE LAS COSAS SALGAN BIEN.
CHIK
CRAAA

MIERDA. ¿QUIÉN...?

TRANQUILA. SOY POLICÍA.
DETECTIVE MAGGIE SMITH. NO DEBERÍAS HABERLE DADO LA ESPALDA, NENA. ESTABA A PUNTO DE ATACARTE CON ESA NAVAJA.
AY, DIOSITO.
VEAMOS QUÉ TIENES DE INTERESANTE AQUÍ PARA QUE HAYAS CORRIDO TANTO POR RECUPERARLO.
OIGA...
¿TE QUERÍA ROBAR TUS DROGAS?
...NO PUEDE...
CARAMBA. MIRE LO QUE ENCONTRÉ.
TENGO PERMISO... PUEDO MOSTRÁRSELO...
A OTRO CON ESE CUENTO. LAS MANOS ARRIBA, MUGROSA.
PE... PERO... LE DIGO LA VERDAD...
SOY... SOY DETECTIVE PRIVADO...
INVENTA ALGO MÁS CREÍBLE, NENA. ¿TÚ, DETECTIVE? JA.
10-9

¿TÚ, DETECTIVE? JA.
ESO DIJO LA POLICÍA. Y CASI ME LLEVAN A MÍ TAMBIÉN DETENIDA POR DEFENDER A ÉSTA.
POR SUERTE SÓLO LA DETUVIERON POR UNAS HORAS, HASTA QUE YO PUDE IR A BUSCAR LA LICENCIA DE ALEJANDRINA QUE DE TAN DISTRAÍDA NUNCA LA LLEVA ENCIMA Y,,,
,,,Y LA VERDAD QUE DE MUCHO NO SIRVIÓ PORQUE SIGUIERON PENSANDO QUE ERA UNA BROMA HASTA QUE LA REVISARON Y VIERON QUE ERA VERDADERA, JA.
MUY GRACIOSO, JE, JE.
BUENO, PODRÍAS CAMBIAR LA CARA ¿NO? A FIN DE CUENTAS MAGGIE TE PIDIÓ PERDÓN.
AH, AHORA ES MAGGIE.
¿QUIÉN ES MAGGIE?
DISCOUNT
CASH
All Spor
FRITANGA
EMBRUJA
10-10

LA POLICÍA QUE ME TRATÓ COMO DELINCUENTE, DE LA QUE MARITA SE HIZO MUY AMIGOTA.
A VECES TIENES UN CARÁCTER, ALEJANDRINA. NI SIQUIERA LE AGRADECISTE EL QUE TE HAYA SALVADO LA VIDA.
NI ESO, NI QUE SE HAYA OFRECIDO A AYUDARLA PORQUE, DIJO, PARA SER DETECTIVE PRIVADO TIENE MUY POCOS REFLEJOS.
DEBERÍAS HABERLA VISTO, MAMASA. PARECÍA UNA DE ESAS POLIS DE T.V. QUE NI SE DESPEINAN CUANDO ATRAPAN A UN DELINCUENTE.
ÉSTA NO LO ATRAPÓ. DIRECTAMENTE LO MATÓ.
Y ADEMÁS...
¡MIREN, AHÍ ESTÁ! ¡SÚBELE EL VOLUMEN, MAMASA!
...Y PUEDO DECIRLES QUE ESTA SERIE DE ASESINATOS DE CONOCIDOS MALVIVIENTES QUE HAN ESQUIVADO EL PESO DE LA JUSTICIA, CORRESPONDE MÁS A LOS MÉTODOS DE LOS AJUSTES DE CUENTAS ENTRE GANGSTERS...
...QUE A LA ACCION DE ALGÚN ESCUADRÓN DE LA MUERTE QUE HA DECIDIDO TOMAR LA LEY POR SUS PROPIAS MANOS.
NO TENGO MÁS QUE DECLARAR.
¿ESCUCHASTE, MAMASA?
ES IMPORTANTE, Y SALE POR TELEVISIÓN. Y NOS INVITÓ A MÍ Y A ALEJANDRINA PARA QUE ESTA NOCHE SALIÉRAMOS LAS TRES A BAILAR Y...
¿ALEJANDRINA?
CREO QUE SE OFENDIÓ, MARITA.

10-11

MIERDA.
NO ME LA TRAGO A ESA POLICÍA.
Y NO ES PORQUE TENGA ESA CARA Y ESE CUERPO BONITOS, NI PORQUE MARITA LA ADMIRE TANTO.
ES PORQUE NO ME GUSTA NADITA DE NADA ESA SONRISA DE HIELO QUE TIENE.
Y TAMBIÉN PORQUE...
...PORQUE CREO QUE ESTOY PERDIENDO A UNA AMIGA.
SÑIIG.
TLUNK!
LUNCH
Jack
PEPSI
LARGEST SEL
CHINESE RELIGI
GIFTS FOR ALL OC
SUPPLIES FOR SCHOOLS
東方文
Coke
TACO
RADIOS - TELEVISION - HI-FI
KODAK

10-12

...Y ESTAMOS AQUÍ ESPERANDO ANSIOSAMENTE ESTE ENCUENTRO MEMORABLE ENTRE DOS GIGANTES...
¡EN ESTE RINCÓN, LA BLONDA, LA BELLA...!
VAMOS, MAGGIE. REVIÉNTALA.
...¡LA IRRESISTIBLE MAGGIE SMITH...!
MAGGIE
MAGGIE
MAGGIE
...¡QUE SE ENFRENTARÁ EN COMBATE ESTA NOCHE A...!
NO LE HAGAS CASO. A ÉSA LA VAS A HACER BOLSA FÁCILMENTE.
...A ALEJANDRINA YOLANDA JALISCO. BAH.
GONG!
¿TE... TE PARECE, MAMASA?

¡Y ASÍ DAMOS COMIENZO A ESTA INOLVIDABLE PELEA!

VOY A REVENTARTE, CARACULO
ESO ESTÁ POR VERSE, RUBIA OXIGENADA.
SOY RUBIA NATURAL, IDIOTA.
DISCULPA...
...PERO ÉSA DEBE DE SER LA ÚNICA COSA NATURAL QUE TIENES, RICURA.
Y AHORA, VAMOS A ARREGLAR CUENTAS.
ÉSTA ES POR HABERME METIDO PRESA CREYÉNDOME DELINCUENTE.
Y ÉSTA, POR HABERTE BURLADO CUANDO TE DIJE QUE ERA DETECTIVE PRIVADO.
Y POR ROBARME A MI AMIGA MARITA.
UNO... DOS... TRES...
11-2

,,, CUATRO,,, CINCO,,, SEIS,,,
,,, SIETE,,, OCHO ,,, NUEVE,,,
PRRRR,,,
PRRR,,, JALISCO PEGÓ A PEDRITO,,, PRR,,, JALISCO PEGÓ A PEDRITO,,, PRRRR,,,
PLOC
¿EH?
AY, NO.
VENGANZAAA,,, PRR,,, VENGANZA,,, PRRRR,,,
Y BUENO, ME LO TENGO MERECIDO.
EN LUGAR DE SOÑAR ESTUPIDECES DEBERÍA HACER ALGO, AUNQUE NO SÉ MUY BIEN QUÉ.
MARITA ESTÁ ENCANDILADA CON ESA POLICÍA RUBIA Y LA VERDAD ES QUE NO PUEDO CULPARLA.
¿QUIÉN QUIERE SER AMIGA DE UN FRACASO COMO YO?
MIERDA. HASTA EN LOS DIARIOS LA TENGO QUE VER.
AILY EXPRESS
ETECTIVE AFIRMA
ENER PISTAS SOBRE
TRO DELINCUENTE
AJUSTICIADO.
VE of WARS
Police drag Jim Clalck

11-3

DAILY EXPRESS
MAUDLING LEADS THE FIELD
Confession of the record Roberts
"SUMAN DOCE YA LOS HOMICIDIOS COMETIDOS EN LAS PERSONAS DE PRESUNTOS CULPABLES QUE FUERON LIBERADOS POR FALTA DE EVIDENCIAS."
"LA DETECTIVE MAGGIE SMITH, A CARGO DEL CASO, SIGUE NEGANDO LA EXISTENCIA DE UN ESCUADRÓN DE LA MUERTE QUE HAYA DECIDIDO TOMAR LA JUSTICIA EN SUS PROPIAS MANOS Y BLA BLA BLA."
BAH, AL MENOS ELLA TIENE UN CASO.
Y YO...
POTATO CHIP
...BUENO, YO TAMBIÉN PODRÍA TENER UNO.
DESPUÉS DE TODO, NO TENGO NADA MEJOR QUE HACER Y ÉSTA SERÍA UNA BUENA OCASIÓN DE CERRARLE LA BOCA A ESA RUBIA INSULSA QUE TANTO SE RIO DE QUE YO SEA DETECTIVE PRIVADO.
¿NO DECÍA MARITA QUE MI PROBLEMA ERA LA FALTA DE SEGURIDAD Y LA POCA CONFIANZA QUE ME TENGO?
BIEN, VAMOS A VER QUIÉN RESUELVE ESTOS HOMICIDIOS. ¿CÓMO SE LLAMA LA ÚLTIMA VÍCTIMA?
LARRY HOLMES.
EMPECEMOS CON ÉL, ENTONCES.
AILY EXPRE
THURSDAY 23Th.
LEADS
Confessi
Roberts

11-4

Y EXPRESS
AFIRMA
SOBRE
NTE
¿QUÉ QUIERE? YA NOS INTERROGARON ESTA MAÑANA.
NO, SOY DETECTIVE PRIVADO E INVESTIGO ESTO POR MI CUENTA. ¿ME DEJARÍA PASAR?
SÓLO HACERLE UNAS PREGUNTAS, POR FAVOR.
¿USTED TRABAJA CON LA POLICÍA RUBIA?
¿DETECTIVE PRIVADO? BUENO, COSAS MÁS RARAS HE VISTO.
PASE.
¿POR QUÉ ME PREGUNTÓ SI TRABAJO CON LA POLICÍA RUBIA?
PORQUE ELLA NUNCA CREYÓ EN LA INOCENCIA DE MI LARRY.
LO ACUSÓ UNA MALA MUJER, QUE ESTABA PRENDADA DE MI HIJO Y NO SOPORTÓ QUE ÉL LA RECHAZARA.
LO DECLARARON INOCENTE PORQUE LE CREYERON MÁS A MI LARRY QUE A LA OTRA.
PERO ELLA, ESA POLICÍA, NUNCA CREYÓ EN SU INOCENCIA.
Y LO MIRÓ CON UNA CARA CUANDO MI HIJO SALIÓ LIBRE... CON UNA CARA QUE NO LA OLVIDARÉ MÁS.

11-5

VEAMOS LOS ANTERIORES, ENTONCES.
MI JUAN NUNCA HABÍA HECHO NADA MALO, PERO VINIERON TIEMPOS DUROS, SE QUEDÓ SIN TRABAJO Y TUVO QUE ROBAR PARA ALIMENTAR A LOS NIÑOS.
LE SUSPENDIERON LA PENA Y LO DEJARON EN LIBERTAD CONDICIONAL POR FALTA DE ANTECEDENTES.
Y CREO QUE A LA POLICÍA QUE LO DETUVO ESO NO LE GUSTÓ NADA.
POR ESO, AHORA CUANDO LA VEO EN LOS NOTICIEROS DICIENDO QUE ESTÁ INVESTIGANDO QUIÉN MATÓ A MI ESPOSO, ME DAN GANAS DE REÍRME.
11-6

CARAMBA. UNA PUEDE SER CASUALIDAD, DOS DAN QUE PENSAR.
VEAMOS A UN TERCERO...
STOP

¿Y PARA QUÉ CUERNOS QUIERES VER AL SEÑOR VITO GARDENIA?
PA... PARA HACERLE UNAS PREGUNTAS SO... SOBRE LA MUERTE DE... DE SU HIJO NICOLA...
...PE... PERO SI ESTÁ MUY OCUPADO VU... VUELVO EN OTRO MOMENTO...
TÚ NO VAS A NINGUNA PARTE.
¿SOBRE LA MUERTE DE SU HIJO NICOLA, DIJISTE?
YO... YO EN REALIDAD NO SÉ NADA...
UN... UN FAMILIAR DE UNA DE LAS VÍCTIMAS ME CONTRATÓ PARA QUE INVESTIGARA Y...

11-7

...Y POR ESO QUERÍA HACERLE UNAS PREGUNTAS, SEÑOR GARDENIA.
SI NO SABES NADA, NO ME SIRVES.
PERO SI LLEGAS A SABER ALGO RELACIONADO CON EL ASESINATO DE MI NICOLA ME LO VIENES A DECIR A MÍ ANTES QUE A CUALQUIER OTRO, HAI CAPITO?
S-SÍ... SEÑORE... HE... CAPITO...
AY... CREO QUE DEBERÍA DEJAR ESTA INVESTIGACIÓN YA MISMO.
NO ME GUSTAN LOS ASUNTOS RELACIONADOS CON LA MAFIA Y ADEMÁS...
...ADEMÁS CREO QUE ME ESTÁN SIGUIENDO, AY.
VOY A TENER QUE DESPISTARLOS.
11-8

BAR

WC
OPEN

JE. ÉSTA NO SE LA ESPERAN.

SI HAY ALGO PARA LO QUE SOY BUENA...

...ES PARA DESAPARECER SIN DEJAR RASTROS, JE.
ESO DE SALTAR POR LA PARTE DE ATRÁS ES UN TRUCO MUY CONOCIDO, PEDAZO DE TONTA.
SAL DE AHÍ, VAMOS A DAR UN PASEO.
¿TÚ? ¿TÚ ME ESTABAS SIGUIENDO? ¿POR QUÉ?

11-9

PORQUE ME ENTERÉ DE QUE ESTUVISTE HUSMEANDO EN MIS ASUNTOS Y ESO NO ME GUSTA.
ME... ME ENCARGARON QUE INVESTIGARA UNA MUERTE Y...

NO ME TOMES POR TONTA PORQUE SÉ QUE HACE TIEMPO QUE NADIE TE ENCARGA NINGÚN CASO. ENTRA.
YO... YO NO SÉ NADA... ¿QUÉ... QUÉ ME VAS A HACER?
ES CIERTO. NO SABES NADA. PERO TIENES SOSPECHAS. Y MÁS VALE QUE TE DETENGA ANTES DE QUE COMIENCES A ESPARCIR TUS SOSPECHAS POR AHÍ.
O... O SEA QUE TÚ...
TE VOY A CONTAR UNA HISTORIA. MI PADRE ERA POLICÍA Y UNA VEZ ATRAPÓ A UN DELINCUENTE PELIGROSO. EL DELINCUENTE SALIÓ EN LIBERTAD POR FALTA DE PRUEBAS Y SE VENGÓ MATANDO A MI PADRE.
Y ME CANSÉ DE VER QUE SIEMPRE SUCEDE LO MISMO.
POR ESO AHORA PIENSO QUE HAY FORMAS MÁS EXPEDITIVAS DE CASTIGAR A LOS QUE BURLAN A LA JUSTICIA.

11-10

¿NO,,, NO PENSARÁS MA,,, MATARME? NA,,, NADIE SOSPECHA DE TI Y A MÍ,,, ¿QUIÉN PODRÍA CREERME?
TÚ LO HAS DICHO. ERES TAN POQUITA COSA QUE NADIE SE MOLESTARÁ EN INVESTIGAR TU MUERTE.
ADIÓS.
EL SEÑOR GARDENIA NOS DIJO QUE PESE A TU CARA DE TONTA, ERES BASTANTE INTELIGENTE.
EL SEÑOR GARDENIA NOS PIDIÓ QUE TE SIGUIÉRAMOS, A VER QUÉ AVERIGUABAS.
EL SEÑOR GARDENIA DIJO QUE CONSIDERARAS SUFICIENTE PAGO EL QUE TE DEJÁRAMOS CON VIDA.
HAI CAPITO?
SÍSÍSÍSÍ. HE CAPITO.

11-11

HOLA, MAMASA.
¿QUÉ HACES, MARITA? ¿HAS ESCUCHADO LO DE TU AMIGA LA POLICÍA? PARECE QUE LA ENCONTRARON ACRIBILLADA EN UN GALPÓN ABANDONADO.
ESA ENGREÍDA NUNCA FUE MI AMIGA, MAMASA. AMIGA ES LA ALEJANDRINA, QUE NO SÉ CÓMO SE ME OCURRIÓ COMPARARLA CON ESA RUBIA QUE CUANDO FUIMOS A BAILAR, ME QUITÓ UN TIPO DELANTE DE MIS MISMÍSIMOS OJOS.
LA ALEJANDRINA NO SERÁ NI LINDA, NI MUY INTELIGENTE, NI MUY EXITOSA, PERO ES LA PERSONA MÁS RECTA Y MÁS BUENA QUE HE CONOCIDO.
A PROPÓSITO, ¿LA HAS VISTO?
LA HE VISTO PASAR CORRIENDO AL BAÑO HACE HORAS Y CREO QUE NO HA SALIDO DESDE ENTONCES.
VINO CON UNA CARA DE SUSTO QUE CREO QUE DE ESO LE VINO UN ATAQUE DE CAGADERA MADRE. ¿NO SE HABRÁ METIDO EN ALGO PELIGROSO?
¿LA ALEJANDRINA? QUÉ VA.
LO QUE LE PASA A LA ALEJANDRINA ES QUE SE ASUSTA POR CUALQUIER ESTUPIDEZ. ¿O NO LA CONOCES, TODAVÍA?
AY.
11-12

HOLA, MAMASITA, PERDONA QUE NO TE DÉ CONVERSACIÓN...
... PERO NECESITO URGENTE UNAS TAPAS Y UN GUISO DE FRIJOLES Y UNAS CERVEZAS Y UN POCO DE DULCE DE CAJETA PARA LLEVAR.
HALA, APÚRATE, QUE CUANDO TERMINE TODO ESTE ASUNTO TE EXPLICO.
SÍ, JALISCO, YA VA, HIJA.
¡Y CUÍDATE, QUE SEGURO QUE TE HAS METIDO EN UNO DE ESOS LÍOS QUE TÚ LLAMAS TUS CASOS DETECTIVESCOS Y EN LOS QUE SIEMPRE TERMINAN HINCHÁNDOTE UN OJO, TONTA DE LA CABEZA!
FRITANGA EMBRUJADA
"TRÁEME ALGO DE COMER YA MISMO O ME SUICIDO", ME GRITÓ EL MUY DESCONSIDERADO, QUE SE CREE QUE YO SOY SU SIRVIENTA.
¿"EL" MUY DESCONSIDERADO, DIJE?
MENOS MAL QUE NO ME OYÓ, PORQUE SI NO QUE POR AHÍ SE OFENDE, EL MUY CHINGADO.
CENTRAL PARK
215
T-6152

12-1

AY.
¿A VER? MIENTRAS ME AMASIJO ACÁ ARRIBA 45 MINUTOS, TRATARÉ DE REPASAR TODO EL CASO DESDE EL PRINCIPIO A VER SI ME ILUMINO.
QUE ESO ES LO QUE HACÍA SHERLOCK HOLMES.
CLARO QUE ÉL LO HACÍA EN SU SALÓN MIENTRAS TOCABA EL VIOLÍN Y YO LO HAGO EN ESTE TRANSPORTE DE GANADO MALOLIENTE.
AY.
AY.
AY. ALEJANDRINA, TIENES QUE AYUDARME, POR EL AMOR DEL CIELO.
¿HU?
PERO MUÉVETE, ¿QUIERES?
MI HERMANO GUADALUPE SE METIÓ EN UN LÍO MUY FEO. VAMOS, HALA, LEVÁNTATE, MIERDA.
TOMA, PONTE ESTO.
TE CUENTO: SE PUSO DE NOVIO CON EL HIJO DE UN TRAFICANTE, EL MUY TONTO, Y ESTE TRAFICANTE ES UNO DE ESOS ITALIANOS MACHISTAS QUE NO PUEDEN TOLERAR QUE LA SEXUALIDAD DE SUS DESCENDIENTES SEA DIFERENTE A LA DE ELLOS...
...Y AHORA QUIERE DARLE UNA PALIZA Y DEJARLO MUERTO EN UN ZANJÓN. AY, POBRECITO GUADALUPE, MI HERMANITO QUERIDO.
¿Y YO QUÉ TENGO QUE VER CON TODO ESTO?
12-2

TÚ CONOCES LOS BAJOS FONDOS, Y AHORITA MISMO VAS A IR A NUESTRO RESTAURANTE, VAS A AGARRAR A GUADALUPE DE LOS PELOS Y LO VAS A ESCONDER EN UN LUGAR SEGURO.
¡VAMOS, VAMOS! DESPUÉS QUE LO TENGAS BIEN OCULTO AL GUADALUPE, VAS A IR A NEGOCIAR CON EL TRAFICANTE QUE SE LLAMA VITO SCOLTROZZI Y LE DIRÁS QUE MI HERMANITO NO VA A MOLESTAR MÁS A ESE CAGÓN DE MIERDA MALNACIDO QUE ES SU HIJO, ESE INCAPAZ DE SALIR EN DEFENSA DE SU AMORCITO, CULO MAL CAGADO.
¿POR QUÉ HE DE HACER TODO ESO QUE DICES, EH?
¡OYE, MARITA!
PORQUE ERES MI MEJOR AMIGA, POR ESO, ALEJANDRINA JALISCO, SÓLO POR ESO.
CHUACCK!
AUCH.
OFFF.
ASÍ ES QUE FUI A BUSCAR A GUADALUPE AL RESTAURANTE DE LA FAMILIA DE MARITA, PESE AL ASCO QUE ME DA ENTRAR AHÍ, PORQUE HACEN COMIDA CON SOBRAS DE LOS CUBOS DE BASURA Y LA VENDEN COMO SI FUERA AUTÉNTICA Y NOBLE COMIDA MEXICANA, LOS MUY TRASCULTURIZADOS.

HOLA, BUEN DÍA.
STRONG COFFEE
CHOCOLATE
CHOPP-BEER
TEQUILA
WHITE W
WHISKY
RED WINE

12-3

¿BUSCAS A ALGUIEN?
SÍ, AL HERMANO DE MARITA. ¿NO LO HAS VISTO?
MARITA NO TIENE NINGÚN HERMANO.
SÓLO TIENE UNA HERMANA...
... YO.
AH, PERDONA, ES QUE...
... VENGO POCO POR AQUÍ Y NO...
... Y NO CONOCÍA TU...
... TU...
... TU TRANSFORMACIÓN, JE.
¿SON DE VERAS O SÓLO RELLENOS, JI?
¡SON DE VERAS, POR SUPUESTO! ¿TE CREES QUE NO TENGO DINERO PARA UNA OPERACIÓN TAN ESTÚPIDA?
TOCA, TOCA, MIRA QUÉ CONSISTENCIA.
CIERTO, ES... ES COMO... COMO SI FUERAN LOS MÚSCULOS DE UN ATLETA.
EN CAMBIO LAS TUYAS... HUM... SE LAS VE MEDIO DESINFLADAS.
CLARO, SON DEMASIADO GRANDES.
TENDRÍAS QUE HACERLAS REDUCIR POR UN PAR MÁS ACORDE CON TU TAMAÑO DE CUCARACHITA NEGRA.
BASTA, OYE...
12-4

KREEEE
...VINE A VERTE POR ALGO MUY IMPORTANTE.
TU HERMANA DICE QUE EL PADRE DE TU NOVIECITO TE ANDA BUSCANDO PARA DESINFLAR-TE A TIROS ESOS DOS GLOBOS QUE TE HAS PUESTO...
...ASÍ QUE SI NO TE PARECE MAL...
...TE VIENES YA MISMO CONMIGO PORQUE ESOS DOS QUE BAJARON DEL AUTO SON EL MIS-MÍSIMO VITO SCOLTROZZI Y SU MANO DERECHA, EL MOSTRO NUNZIATELLI.
EXIT
MUÉVETE O TE LA DAN, GUADALUPE.
ESP... ESP... ESPERA...
...POR FAVOR, QUE ESTOS ZAPA-TOS ME ESTÁN MATANDO.
12-5

FUE UNA VERGÜENZA... NOS VIO TODO EL BARRIO...
... Y TODA LA GENTE DEL AUTOBÚS QUE TOMAMOS PARA IR HASTA LOS DEPÓSITOS DONDE ROQUITO TRABAJA DE SERENO Y DONDE YO HABÍA DECIDIDO ESCONDER A GUADALUPE HASTA NEGOCIAR CON VITO SCOLTROZZI.

THIS END UP
PERO SÍ, ROQUITO... ES GUADALUPE, EL HERMANO DE MARITA.
ES INOFENSIVO, NO TEMAS. SI SE PROPASA PUEDES HINCHARLE UN OJO.
ADEMÁS, AQUÍ NADIE LO VA A VER Y POR LO TANTO NO VA A ESTAR EN PELIGRO TU REPUTACIÓN DE MACHAZO LATINO.
2

Y CONVENCÍ A ROQUITO DE QUE TUVIERA A GUADALUPE CON ÉL HASTA NUEVO AVISO...
...Y ME FUI A VER A VITO SCOLTROZZI.

EL PROBLEMA NO ES SU AMIGUITO GUADALUPE, SEÑORA...
... Y LE JURO QUE GUADALUPE NO VOLVERÁ A MOLESTAR A SU HIJO, SEÑOR SCOLTROZZI, NI SIQUIERA LO MIRARÁ A LA CARA SI SE LO LLEGA A CRUZAR POR LA CALLE.

12-6

...EL PROBLEMA ES MI HIJO, QUE ESTÁ ENAMORADO DE ÉL COMO UNO STRONZO CRETINO
POR ESO...
...¡HAY QUE MATAR AL PERRO PARA ACABAR CON LA RABIA!
KRESH!
NO... NO... ESCÚCHEME... RAZONEMOS...
...SI USTED MATA A GUADALUPE, SU HIJO, AL PERDER A SU AMORCITO, LE ODIARÁ A USTED CON TODAS LAS FUERZAS DE SU CORAZÓN, ASÍ QUE...
...LO MEJOR SERÍA QUE GUADALUPE LE DIGA QUE AMA A OTRO, ASÍ ÉL SUFRE POR UNA PENA DE AMOR PERO NO EMPIEZA A ODIAR A SU PADRE, QUE LE DIO EL SER, QUE ES UNA COSA TAN PERO TAN FEA, ¿NO?
HUMM...
TAL VEZ TENGAS RAZÓN. TAL VEZ...
...PERO ME GUSTARÍA CONSULTARLO CON LA ALMOHADA, COMO HE HECHO SIEMPRE EN ESTOS CASOS DE VIDA O MUERTE.
VEN A VERME EN 48 HORAS Y TE DIRÉ SI QUIERO QUE VIVA O QUE MUERA ESE PUTO DE MIERDA.
12-7

UGH,,, YA HACE CASI DIEZ MINUTOS QUE NO RESPIRO CON TODO ESTE AMONTONAMIENTO.

EXIT
BUENO, LA CUESTIÓN ES QUE FUI A CASA A CAMBIARME LOS CALZONES QUE ESTABAN MEDIO CAGADOS DE TANTO ENFRENTAR A VITO SCOLTROZZI Y ALLÍ ME ENCONTRÉ CON UN MENSAJE EN EL CONTESTADOR,,,

PIOJOSA HIJA DE PUTA, HABLA GUADALUPE. ESTOY MUERTA DE HAMBRE EN ESTE SITIO ROÑOSO DONDE ME DEJASTE.
TRÁEME ALGO DE COMER YA MISMO O ME SUICIDO Y DESPUÉS TE LAS TENDRÁS QUE VER CON MARITA, DE QUIEN DICES SER TAN AMIGA, MOSCA TETONA DE LETRINA HEDIONDA.

PER,,, MI,,, SO,,, ME TENGO QUE,,, BAJAR.
Y ACÁ ESTOY, CON LA COMIDA. ESPERO QUE LE ENTRE EN LA CABEZA QUE NO DEBE MOVERSE DE LOS GALPONES DE ROQUITO, AUNQUE NO SÉ, CON TANTAS HORMONAS QUE TOMA,,,
FRITAN

,,, MÁS QUE UN CEREBRO, EL POBRE GUADALUPE HA DE TENER EN LA CABEZA UN POLLO CON DOBLE PECHUGA.
PUF. LLEGUÉ, POR FIN.

12-8

17
18
19
20
EH, GUADALUPE, SOY YO.
YA ERA HORA, MOSQUITA MUERTA. TENGO EL ESTÓMAGO PEGADO AL ESPINAZO. PASA, PASA...
¿QUÉ ME TRAES AQUÍ? ¡COMIDA! ¡¡COMO PARA COMER ESTOY YO!!
¿SABES QUÉ? ANTES DE LLAMARTE A TI, TETAS CAÍDAS, HABLÉ CON MI AMORCITO. ¿Y SABES QUÉ ME DIJO?
QUE MI VIDA ESTÁ EN MANOS DE SU PADRE, QUE ÉL NO PUEDE HACER NADA, Y QUE ME ARREGLE COMO PUEDA.
ENTONCES...
...LA CONCLUSIÓN ES QUE NO RESPONDE A MI CARIÑO CON LA INTENSIDAD CON QUE YO LE OFREZCO EL MÍO... BUH... BUH...
MIRA, CÁLMATE, COME ESTO, QUE ES VERDADERA COMIDA MEXICANA, Y DESCANSA.
12-9

Y NO SALGAS DE AQUÍ HASTA QUE YO TE AVISE. SEGUIRÉ NEGOCIANDO CON VITO SCOLTROZZI. TE MANTENDRÉ INFORMADO,,, DIGO, INFORMADA.
SECTOR AC
SECTOR AC
EJEM.
¿QUÉ,,,?
¿,,,QUIÉN ERES TÚ?
¿UN MATÓN ENVIADO POR EL PADRE DE MI EX?
NO ME DIGAS NADA. LO SÉ TODO.

12-10

SEGUISTE A ESA IMBÉCIL PARA UBICARME Y AHORA ME VAS A MATAR.
ESTÁ BIEN, HAZLO.

AUNQUE... LOS CONDENADOS A MUERTE PUEDEN PEDIR UNA ÚLTIMA VOLUNTAD.
¿TE PARECERÍA DEMASIADA PRETENSIÓN QUE ANTES DE MATARME TÚ Y YO...? EN FIN, CREO QUE NO SERÁS OTRO ITALIANO PREJUICIOSO, ¿NO?
¿QUÉ TU Y YO HAGAMOS EL... LA...?
PERO...
¿... NO TE DA ASCO VERME ASÍ, TAN FEO?
¿ASCO?
ASCO ME DAN LOS CHICOS LINDOS QUE ME TRAICIONAN.
EN CAMBIO TÚ... DEBAJO DE ESA TOSQUEDAD APARENTE...
...CREO QUE ESCONDES UN ALMA PURA Y MARAVILLOSA.
VEN.

12-11

¿Y QUIERES QUE TE CUENTE EL FINAL DE LA HISTORIA?
MOSTRO MATÓ AL VIEJO SCOLTROZZI PORQUE QUERÍA MATAR A SU NUEVO AMORCITO. Y AL JOVEN SCOLTROZZI POR SER EL VIEJO AMANTE DE SU NUEVO AMORCITO.
Y SE QUEDÓ CON EL NEGOCIO DEL TRÁFICO PARA ÉL.
SPECIAL
DELICIOUS MEXI AN FO DS
Y AHORA...
...AHORA GUADALUPE VIVE COMO UNA RICACHO-NA... Y DIGO BIEN, RICACHONA Y NO RICACHÓN PORQUE SE ESA OPERACIÓN ABAJO EN HIZO UNA FINÍSIMA CLÍNICA DE SUIZA...
...Y EN LA CLÍNICA DE AL LADO DE ÉSA, A MOSTRO LO VOLVIERON LINDO.
Y AHORA AHÍ ANDAN LOS DOS, EN UNA LIMUSINA, AMARRADITOS Y HACIÉNDOSE ARRUMACOS, GASTANDO PLATA CON UNA PALA.
SIIIGH.
ELICIOUS EXICANS OODS
SPECIAL FRIES FOODS $1.15
NO, SI YO SIEMPRE DIGO QUE LOS CUENTOS DE HADAS EXISTEN EN LA REALIDAD, NO SOLO EN LAS TELENOVELAS.
MAMASA, SÍRVEME OTRO PLATO DE FRIJOLES SALTARINES QUE HASTA ME DIERON GANAS DE BAILAR POR ADENTRO.

12-12

AHÍ VIENE, MIREN, MIREN, ES ÉL.
AY, FÍJENSE COMO FRENA, COMO SI GODZILLA CLAVARA EL PIE EN EL PEDAL PARA DETENER AL GIGANTE.
SKREEE
Y AHORA, EL HOMBRE QUE DOMINÓ A LA BESTIA DE HIERRO SE APRESTA A BAJAR.
¿QUIÉN ES? ¿LOU FERRIGNO? ¿MIKE TYSON? ¿VAN DAMME? ¿STALLONE?
NO, ES VICTORIANO LARRECULA, QUE NO SÓLO ES PEQUEÑITO COMO UN GARGAJO DE MOSCA, SINO ADEMÁS QUE ES POBRE COMO UNA HOJA DE NOGAL QUE SE HA TENIDO QUE IR DEL ÁRBOL POR NO TENER DINERO PARA PAGAR EL ALQUILER
113H
13-1

¿SE DAN CUENTA? VICTORIANO LARRECULA.
EL TIPO MÁS POQUITA COSA DE LA CIUDAD, Y ENCIMA...
Coke

...EL MÁS MAL SAZONADO Y MENOS VISTOSO DE TODOS LOS MILLONES DE HOMBRES QUE HAY POR ESTAS CALLES.
AY, AY, DIOS, ES TAN FEO...
NO DIGAS ESO, JALISCO.
NO EXAGERES, ALEJANDRINA.
MIRA, TONTA DEL CULO, HACE TRES AÑOS QUE NINGÚN HOMBRE TE CONVIDA NI A UN CIGARRILLO, ASÍ QUE ACEPTARÁS QUE TE VAYA A BUSCAR A TU CASA PARA INVITARTE A CENAR.
¿¿ENTENDISTE, MIERDA??
ES PEQUEÑAJO, CIERTO, PERO SEGURO QUE HABLA BONITO.
NO SÉ, TIENE TAN MAL ALIENTO QUE NO PUEDO ESCUCHAR LO QUE EMANA DE SU BOCA ENTRE EFLUVIOS DE CLOACA.
TIENE ASPECTO DE SER UN GRAN AMANTE, CON ESOS OJOS COMO ADORMILADOS...
ME DIJERON QUE UNO ES DE VIDRIO.

13-2

Y, SÍ, MARITA Y MAMASA TIENEN RAZÓN.
UNA DESHAUCIADA COMO YO NO PUEDE ANDAR CON TANTOS REMILGOS.
LA B153
AMP 162
HOLA, VICTORIANO.
OH, JALISCO, VINISTE, CIELITO LINDO.
SÍ, VICTORIANO, VINE PARA DECIRTE QUE TE ESPERO ESTA NOCHE EN CASA Y QUE ACEPTO TU INVITACIÓN A CENAR.
TE ESTARÉ ESPERANDO CUANDO TERMINES AQUÍ CON TU CAMIÓN Y HAYAS IDO A TU CASA A BAÑARTE, CAMBIARTE Y LAVARTE LOS DIENTES.
TE LLEVARÉ FLORES, JALISCO. ME HACES TAN FELIZ...
AY.
W 46 ST
CAR DRIVE ONLY

13-3

13-4

HOLA, JALISCO, HE VUELTO PARA PEDIRTE AYUDA.
PERO,,, GUADALUPE,,, TÚ,,, YO AHORA NO,,,
POR PIEDAD, SOY UNA PERSONA SOLA Y PERSEGUIDA.
BASTA PARA MÍ CONTIGO, GUADALUPE. VE A PEDIR AYUDA A TU HERMANA MARITA.
¡MI POBRE HERMANITA,,,! ¡A ELLA TAMBIÉN LA VIGILAN LOS MALVADOS!
EL FAVOR QUE NECESITO TIENE QUE HACERLO ALGUIEN A QUIEN ELLOS NO CONOZCAN, COMO TÚ.
NO ENTIENDO,,,
¿,,, EN QUÉ LÍO TE METISTE, HOMBRE?
NO ME DIGAS HOMBRE O TE BAJO LOS DIENTAZOS ESOS DE ARDILLA DE UNA TROMPADA, JALISCO.
TÚ Y YO NUNCA NOS VAMOS A ENTENDER, GUADALUPE. VETE.
AY, NO, NO ME ARROJES A LA CALLE, POR PIEDAD.
DÉJAME CONTARTE LO QUE ME PASÓ, SÉ BUENA.
RISSO
13-5

¿RECUERDAS A MOSTRO NUNZIATELLI, EL HOMBRE QUE ME AMABA?
¿EL QUE MATÓ A UN BOSS MAFIOSO Y A SU HIJO POR MÍ?
TE LA HAGO CORTA. LA MAFIA NO PERDONA Y MATÓ A MI POBRE MOSTRO.
Y AHORA ME LA QUIEREN DAR A MÍ PORQUE HAY UN DINERO ROBADO POR MI DIFUNTO AMOR QUE ESTÁ EN UNA CAJA DE LA ESTACIÓN CENTRAL YO SÉ CUÁL ES ESA CAJA Y TENGO LA LLAVE QUE LA ABRE.
NO PUEDO MANDAR A MARITA A BUSCARLA PORQUE LOS ASESINOS QUE RONDAN LA ESTACIÓN CENTRAL LA CONOCEN A ELLA TAMBIÉN.
ES CUESTIÓN DE MEDIA HORA.
AQUÍ TIENES LA LLAVE SÓLO TÚ Y YO SABEMOS SU NÚMERO.
ES APENAS UN BOLSO FEO, DE PLÁSTICO, LLENO DE PAPELITOS VERDES.
VA MUCHA GENTE A BUSCAR SUS COSAS A ESAS CAJAS CON LLAVE.
Y TÚ ERES TAN POCA COSA QUE NADIE PENSARÁ QUE VAS A RETIRAR DOSCIENTOS MIL DÓLARES.
OLVIDA EL RENCOR QUE ME TIENES POR SER MÁS HERMOSA QUE TÚ.
TE RECOMPENSARÉ, SI QUIERES.
APIÁDATE DE UNA POBRE CRIATURA EN PELIGRO, JALISCO.
13-

MIRA, MUCHACHO,,, TÚ,,, TÚ,,,
ESTÁ BIEN. POR MARITA QUE ES MI AMIGA DEL ALMA. IRÉ.
VOLVERÉ LO MÁS RAPIDO QUE PUEDA.
VA A VENIR A BUSCARME UN,,, UN AMIGO. SE LLAMA VICTORIANO.
DILE QUE ME ESPERE UN RATO. SÉ ATENTO,,, ATENTA CON ÉL, EN LA COCINA HAY TEQUILA, OFRÉCELE UN TRAGO.
NO TE PREOCUPES. TE LO ATENDERÉ COMO UNA ESCLAVA A SU REY.
¿COMO UNA ESCLAVA A SU REY? ¿QUÉ QUISO DECIR?

13-7

CENTRAL STATION
18:45
B
OH-OH-OH AHÍ ESTÁN LOS QUE ESPERAN A GUADALUPE.
TENGO QUE HACERME LA INOCENTE. NO SABEN EN QUÉ CAJA ESTÁ LA MERCADERÍA Y NUNCA ME VIERON. TRANQUILA, ALEJANDRINA YOLANDA, TRANQUILA...
127
Y AQUÍ ESTÁ LA BOLSA DE PLÁSTICO CON LA PASTA...
AHORA, CAMINARÉ COMO UNA PERSONA AJENA A TODO Y...
¡¡¡JALISCO!!

13-8

Amtrak
¿PERO, TÚ,,,?
¿QUÉ HACES AQUÍ? YO VINE A BUSCAR A UN PRIMO LEJANO QUE LLEGA DE CUERNAVACA EN TREN DENTRO DE 10 MINUTOS.
¿,,,QUÉ HACES AQUÍ, TÚ?
¿NO TENÍAS TU CITA CON VICTORIANO ESTA NOCHE, LOCA?
MARITA,,, ME PARECE QUE TÚ Y YO,,,
,,, TENEMOS QUE CORRER, ¡YA!
¿QUÉ,,,?
¡RÁPIDO O ÉSOS NOS CEPILLAN, MARITA!
¿EN QUÉ LÍO TE METISTE, ALEJANDRINA, ESTA VEZ?
EN QUÉ LÍO VOLVIÓ A METERME TU HERMANO GUADALUPE.
ÉL PREFIERE SER MI HERMANA, NO MI HERMANO.
PERO DIME,,,
GP 39
13-9

...¿POR QUÉ CORREMOS PARA ESTE LADO?
PORQUE ES EL... PUF... EL SITIO IDEAL PARA...
...PARA METER LA MANO EN ESTA... PUF... BOLSA, AGARRAR... PUF... UN BUEN PUÑADO DE BILLETES Y...
...Y TIRARLOS POR EL AIRE.
Y COMO VES... PUF PUF... ÁVIDOS NECESITADOS VIENEN EN NUESTRA AYUDA.
13-10

ERES BASTANTE VELOZ MENTALMENTE, ALEJANDRINA.
CAMINA, QUE SEGURO QUE VICTORIANO YA ESTARÁ CANSADO DE ESTAR DÁNDOLE CHARLA A TU HERMAN... A.
¡Eh, VICTORIANO, SOY YO! ¿DÓNDE ESTÁS, GUADALUPE, QUE VINE CON MARITA QUE TE QUIERE SALUDAR?
PERO... ESTO SÍ QUE NO LO PUEDO CREER.
TE HAGO UN FAVOR QUE PONE EN PELIGRO NUESTRAS VIDAS Y MIENTRAS TÚ TE REVUEL-CAS CON MI... AMIGO.
AY, JALISCO... NUNCA ENTENDERÁS LO QUE ES EL FLECHAZO FULMINANTE DEL AMOR.
13-11

ME VOY DEL PAÍS, TE LLAMARÉ, HERMANITA.
VAMOS, VICTORIANO.
SÍ, SÍ, PRECIOSA.
BLUM!
BUENO,,, NO TE LO QUISE DECIR ANTES PERO,,,
,,,LA VERDAD ES QUE TENÍAS RAZÓN.
,,,VICTORIANO LARRECULA ES EL TIPO MÁS POQUITA COSA DE LA CIUDAD.
NO ERA PARA NADA UN BUEN PARTIDO PARA TÍ.
HA HA HA HA HA HA HA HA HA HA HA HA HA HA
13-12

Más de 250.000 muertos en Bosnia y 1.000.000 de refugiados...
... con el tumbao q'tienen los guapos ...
AY, DIOSITO, ¿POR QUÉ GUARDARÉ TANTA BASURA ?
PERO HOY VOY A TIRAR TODO LO QUE NO SIRVA.
ESTE PULÓVER AGUJEREADO, POR EJEMPLO, ¿PARA QUÉ LO QUIERO ?
Y...
... FUE EL QUE COMPRÉ CON EL DINERO QUE ME DEJÓ MI PRIMER CASO.
NO, NO LO PUEDO TIRAR.
MEJOR LO METO EN ESTA CAJA, JUNTO CON LOS LIBROS QUE YA LEÍ, Y LOS SUPLEMENTOS DOMINICALES DEL DIARIO, Y LAS CARTAS QUE ME MANDARON DE CUERNAVACA EN LOS ÚLTIMOS DIEZ AÑOS, Y...
... Y LO GUARDO EN EL CUARTO DE LOS RECUERDOS.
APPLES
SAN ANTONIO
ESTABLEC. FRU
PERO...

14-1

¡¡¡ MIERDA ¡¡¡
¡¡¡ SE VE QUE ME ESTOY EMPEZANDO A PONER VIEJA PORQUE LA VERDAD ES QUE TENGO UNA EXCESIVA CANTIDAD DE RECUERDOS.
UF ¡¡¡ ¿ CÓMO HAGO PARA ¡¡¡ ?
¿ ¡¡¡ PARA ¡¡¡ PARA QUE TODO VUELVA A CABER EN EL CUARTO ?
LA ÚNICA QUE ME ¡¡¡ UF ¡¡¡ QUE ME QUEDA ES ¡¡¡
¡¡ ¡¡¡ CERRAR LA PUERTA RÁPIDO ANTES DE QUE SE VUELVA A DESMORONAR TODO !!
SLAM
PUFF, CREO QUE LO CONSE ¡¡¡
DRIIING
¡¡¡ GUÍ.
14-2

¿QUÉ DESEA, MISTER?
¿QUÉ DESEO, PERRA? TÚ SABES BIEN QUÉ DESEO.
?
DESEO QUE ME DIGAS YA MISMO DÓNDE ESTÁ.
¿DÓNDE ESTÁ... QUIÉN?
¿DÓNDE ESTÁ LIVIANO MALAONDA, ESE MEXICANO DE MIERDA?
NO... NO CONOZCO A NINGÚN LIVIANO MALAONDA. CREO QUE HAY UN ERROR.
14-3

TUMP
EL ERROR QUE COMETISTE FUE NACER, ALEJANDRINA JALISCO, GATA SARNOSA.
PERO A MÍ NADIE ME OCULTA INFORMACIÓN.
NADIE.
FLUSSHHHH
GLOB
NO...
BLUB
14-4

SÉ PERFECTAMENTE, PORQUE SE LO DIJO A SU PRIMO A QUIEN ARRANQUÉ LOS DIENTES UNO A UNO CON LAS MANOS, QUE PENSABA VENIR A CONTRATARTE.
¿A CONTRATARBLUGME? ¿Y PARA QUÉ?
A CONTRATARTE PARA QUE ME SACARAS DE SU CAMINO.
LE DIJO A SU PRIMO QUE LE HABÍAN DICHO QUE ERAS BUENA PARA ESAS COSAS.
TONC
Y A MÍ, LA ÚNICA MANERA DE SACARME DEL CAMINO, ES OCULTÁNDOSE MUY BIEN, ASÍ QUE...
...COMO QUE ME LLAMO ALLEGRO MENDELSHON, ME VAS A DECIR...
...¡¡DÓNDE LO ESCONDISTE!!
¡AY, ESTÁ MUY CALIENTE! ¡ME ESTÁS QUEMANDO, PUTA MADRE!
SERÁ MEJOR QUE HABLES YA MISMO O SACO DEL BOLSILLO MI CUCHARA DE VACIAR OJOS.
LA METO POR DETRÁS DEL GLOBO OCULAR Y TIRO PARA ADELANTE Y EL OJO HACE SCUICH... JE... Y VUELA POR EL AIRE.

14-5

¿CON CUÁL PREFIERES QUE EMPIECE, EL DERECHO O EL IZQUIERDO?
E,,, ESPERE, ALLEGRO MENDELSHON, ESPERE.
LE DIRÉ DÓNDE ESCONDÍ A LIVIANO MALAONDA.
AJÁ, A MÍ NO SE ME HUBIERA OCURRIDO.
ESCONDERLO EN UN CUARTO DE TU PROPIA CASA, MUY INTELIGENTE.
VEAMOS,,,
,,,PERO,,,
¿,,,QUÉ?
14-6

ESPERA, NO TE VAYAS, PUTITA.
AH, NO, ME VOY A QUEDAR A TOMAR EL TÉ CONTIGO, BESTIA.

¡¡ VEN AQUÍ, ASQUEROSA RATA MALOLIENTE !!
NI PIENSO.
MIRA QUE SOY VELOZ, RESISTENTE Y ME VOY A ENOJAR CONTIGO.
PERO YO LLEVO ZAPATILLAS, PESO MIL KILOS MENOS Y ESTOY MUY ASUSTADA.
NO CREO QUE ENCUENTRES A NADIE DISPUESTO A AYUDARTE.
ME PARECE QUE ESTÁS EQUIVOCADO, MENDELSHON.
POLICE DEPARTMENT OF NEW YORK

14-7

WANTED
PLEA
TAKE
TICKET
HAY UN TIPO QUE ME CAGÓ A GOLPES Y CREO QUE QUIERE MATARME.
¿EN SERIO?
HUMM,,, DEBES SACAR NÚMERO Y AGUARDAR,,,

,,, A QUE LE TOME LA DENUNCIA DE UN CHOQUE CON SU AUTO A ESTA SEÑORA QUE LLEGÓ PRIMERO.
PERO ES QUE,,, LO MÍO ES MUY URGENTE, Y,,,
POLICE
,,, Y MIRE, EL TIPO YA ESTÁ AQUÍ.
POR FAVOR, SILENCIO, QUE ME VA A HACER EQUIVOCAR Y TENDRÁ QUE ESPERAR EL DOBLE.
PERO,,, MÍREME, POR FAVOR.
SHHHH,,, SILENCIO O LA HARÉ PROCESAR POR MOLESTAR EN EL PRECINTO.

14-8

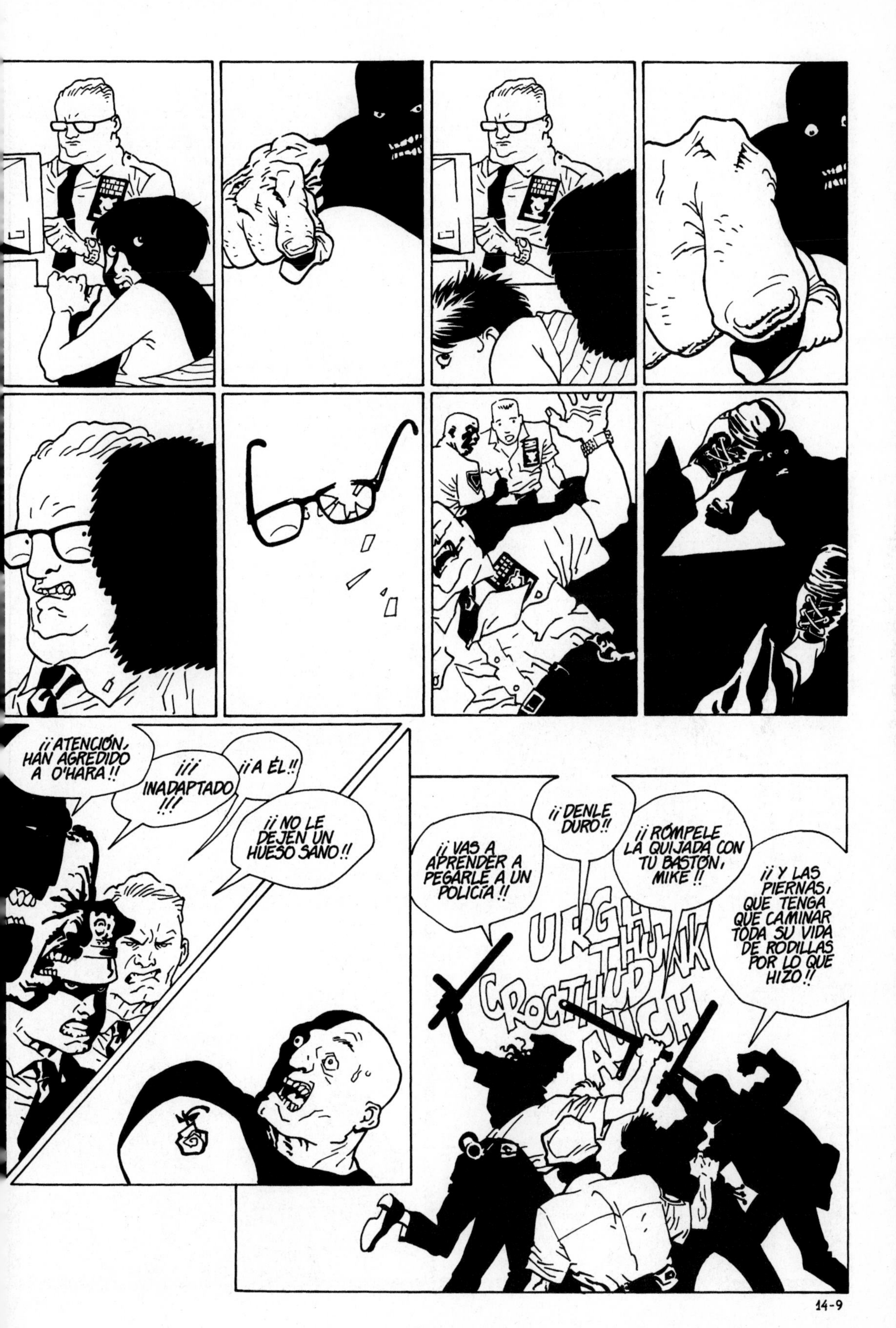
¡¡ATENCIÓN, HAN AGREDIDO A O'HARA!!
¡¡¡ INADAPTADO !!!
¡¡A ÉL!!
¡¡NO LE DEJEN UN HUESO SANO!!
¡¡VAS A APRENDER A PEGARLE A UN POLICÍA!!
¡¡DENLE DURO!!
¡¡RÓMPELE LA QUIJADA CON TU BASTÓN, MIKE!!
¡¡Y LAS PIERNAS, QUE TENGA QUE CAMINAR TODA SU VIDA DE RODILLAS POR LO QUE HIZO!!
URGH
THUNK
CROC
THUD
AUCH
14-9

¡HAZME UN LUGARCITO, SHANNON, ASÍ PRACTICO LA BATERÍA CON SUS CODOS!
¡MIRA CÓMO LE ESTOY DEJANDO LA NARIZ, FLAHERTY!
MUY ARTÍSTICO. DÉJAME A MÍ QUE LE AGRANDO BIEN LOS AGUJEROS.
BAH.
POLICE
POLICE DEPARTMENT OF NEW YORK
AAAAAAYYY
14-10

NO SE ASUSTE, SEÑORITA JALISCO, PORQUE USTED HA DE SER ALEJANDRINA JALISCO, LA DETECTIVE, ¿NO?
NO HE VENIDO A HACERLE DAÑO, SÓLO QUIERO CONTRATAR SUS SERVICIOS.
RESULTA QUE DESPUÉS DE ESTAR VARIAS HORAS BAJO LA CAMA DE MI TÍA MARIONCITA, DECIDÍ VENIR A VERLA, SEÑORITA.
ME LLAMO LIVIANO MALAONDA Y NECESITO QUE...
...SAQUE DE MI CAMINO A UN MATÓN LLAMADO ALLEGRO MENDELSHON.
AH, CARAMBA.
TÚ ERES EL PRIMER CLIENTE QUE LLEGA A LO DEL DETECTIVE LUEGO DE QUE ESTE RESOLVIÓ EL CASO.
¿QUÉ QUIERE DECIR?
QUE YA LOGRÉ QUE METIERAN PRESO A ESE TAL MENDELSHON.
Y NO LO VA A PASAR BIEN, PORQUE GRACIAS A MÍ COMETIÓ UN CRIMEN QUE EN ESTA CIUDAD NO SE PERDONA.
TIENE FÁCIL PARA TRES, CUATRO, TAL VEZ CINCO AÑOS DE CÁRCEL POR DELANTE.
ESO SIGNIFICA QUE...
14-11

... SI USTED RESOLVIÓ EL ASUNTO ANTES DE QUE YO SE LO ENCARGARA, YO NO TENGO QUE PAGARLE NI UN CENTAVO, ¿NO ES CIERTO?
GRACIAS, SEÑORITA JALISCO.
A ESTAS ALTURAS, USTEDES HAN DE PENSAR QUE YO SOY MEDIO ESTÚPIDA, ¿NO?
14-12

Mrs Laurie
CREO QUE LE HE RECOMENDADO LO MEJOR AL POBRE MANUEL CALETEJO...
...QUE SE QUEDE ESCONDIDO EN EL FONDO DEL TALLER DE AUTOS DE NICANORO LOPEZAZO HASTA QUE LLEGUE EL MOMENTO DE ATESTIGUAR CONTRA SLIVINSK.
SÍ, SEGURAMENTE HICE BIEN, PORQUE...
...PARA UN MEXICANO, LA PROTECCIÓN POLICIAL PUEDE SIGNIFICAR LA MUERTE PORQUE AL PROTECTOR SE LE ESCAPA UN TIRO, O...
...O LA MUERTE PORQUE EL PROTECTOR SE QUEDÓ DORMIDO JUSTO CUANDO LOS HOMBRES DE SLIVINSK ESTÁN POR CLAVARLE UN PUÑAL EN LA ESPALDA, O...
PERDÓN, SEÑORITA...
...O ALGO PEOR, QUE EN ESTE MOMENTO NO SE ME OCURRE.
15-1

...NO HAY NI UN LUGAR LIBRE, ¿PUEDO COMPARTIR SU MESA?
HMSÉ.
EN FIN, DE TODOS MODOS, AL POBRE MANUEL CALETEJO, ACOSTUMBRADO A VIVIR EN LAS CASAS QUE EL MUNICIPIO ESTÁ POR TIRAR ABAJO...
...DORMIR UNOS DÍAS EN EL ASIENTO DE UNA CAMIONETA MEDIO DESARMADA NO LE VA A CAMBIAR LA CONSISTENCIA DE LOS HUESOS.
GRACIAS.
AY... NO PUEDE SER.

ESTE TIPO ME ESTÁ MIRANDO COMO... EJEM...
...AY, NO ME ANIMO NI A PENSARLO...
...COMO SI ME DESEARA.
AUNQUE NO, YA SÉ, ESTÁ MIRANDO A UNA CHICA LINDA QUE ESTÁ A MIS ESPALDAS.
TIC TIC TIC
¿A VER?
Coke
AH.
NO, EVIDENTEMENTE ME ESTÁ MIRANDO A MÍ.
¿QUÉ HAGO?
ME EMPIEZO A PONER NERVIOSA. CLARO, LA FALTA DE COSTUMBRE DE QUE ME PASEN ESTAS COSAS.
PERDÓN...
Y, COMO SIEMPRE QUE ME PONGO NERVIOSA, ME EMPIEZAN A VENIR UNAS GANAS IRREFRENABLES DE...
¿ESTÁS BUSCANDO UN CIGARRILLO? ¿PUEDO OFRECERTE UNO?
...DE ESTORNU...

15-3

…DAR.
ATCHUUUUU!!!
PERDÓN.
NO… NO BUSCABA UN CIGARRILLO.
UN PAÑUELO, BUSCABA, JE.
AH.
AQUÍ TIENES.
GRACIAS.
PRTTTTT
¿Y AHORA? NO TE LO VOY A DEVOLVER TODO SUCIO. ¿QUÉ SE HACE EN ESTOS CASOS?
Y… EN ESTOS CASOS, LA SEÑORITA SE OFRECE A LAVÁRSELO Y PLANCHÁRSELO AL CABALLERO, PARA LO CUAL…
… TENDRÍAS QUE DARME UNA CITA, ASÍ ME LO ENTREGAS DOBLADITO Y PERFUMADO.
PERO YO NO…
15-4

...YO N...

...Y ESTUVE POR DECIRLE QUE NO, PERO AL FINAL LE DIJE SÍ, SÍ, SÍ.
Y QUEDAMOS EN ENCONTRARNOS DENTRO DE UNA HORA EN UN BAR ELEGANTE...
...ESPERO QUE ME DEJEN ENTRAR SIN PENSAR QUE SOY UNA MENDIGA...
...Y QUÉ TE PUEDO DECIR, MARITA LINDA...
BUS STOP
NO Parking Only BUS
IMPERIAL
CLOTHES
Eclair PASTRY
PHONE
...¡ES EL TIPO MÁS LINDO QUE SE FIJÓ EN MÍ ALGUNA VEZ!
AY, ESTOY TAN EMOCIONADA...

15-5

¡¡¡DESÉAME SUERTE, MARITA!!!
¡¡¡HASTA LE PERFUMÉ EL PAÑUELO PARA IMPRESIONARLO!!!
¡¡¡JI JI!!!
¡¡¡HASTA LUEGO, AMIGUITA.
BUS ONLY
CREO QUE TENDRÍA QUE HABER TOMADO UN TAXI¡¡¡
¡¡¡VOY A LLEGAR A MI CITA CON OLOR A PATA, PUF.
AHORA VIENE CUANDO UN PORTERO ME DICE QUE NO SE ACEPTAN CHICANOS.
CLASIC BAR

15-6

NO LO PUEDO CREER, HOY ES MI DÍA DE SUERTE.
CLARO, TODAVÍA FALTA QUE ÉL VENGA, QUE NO ME HAYA ESTADO EMBRO-MANDO...
¡¡ALLÍ ESTÁ!!
QUÉ SUERTE QUE VINISTE, SIÉNTATE.
NI SIQUIERA TE DIJE CÓMO ME LLAMO. YO SOY MEL.
Y YO ALEJANDRINA... PERO ME PUEDES LLAMAR ÁLEX.
ME GUSTA MÁS ALEJANDRINA, TIENES UN NOMBRE CON MUCHA MUSICALIDAD.
MUY AMABLE, JI JI.
15-7

...Y MUY PRONTO RECIBIRÉ MI LICENCIA PARA TRABAJAR COMO ABOGADO. NO SÉ SI QUEDARME EN LA CIUDAD O BUSCAR UN SITIO MÁS TRANQUILO PARA EJERCER LA PROFESIÓN, UNA CIUDAD PEQUEÑA, CERCA DEL MAR, TAL VEZ.
...Y SÉ QUE ES EXTRAÑO, PERO FUI POLICÍA UN TIEMPO, MUY POCO, Y CUANDO RENUNCIÉ, SEGUÍ INVESTIGANDO UN PAR DE COSAS QUE QUEDABAN PENDIENTES Y AQUÍ ME TIENES, ALEJANDRINA JALISCO DETECTIVE PRIVADA.
...Y SOY SOLITARIO, Y UN POCO ROMÁNTICO, ADORO LOS BOLEROS Y LA SALSA.
AY, A MÍ TAMBIÉN ÉSA ES LA MÚSICA QUE MÁS ME GUSTA.
CONOZCO UN LUGAR DONDE SE BAILA Y QUE... NO SÉ... SI QUIERES...
15-8

AQUÍ VIVO YO, MEL.
GRACIAS POR ACOMPAÑARME.
BUENO... ADIÓS.
ME GUSTARÍA VOLVER A VERTE, ALEJANDRINA. ¿PUEDO TELEFONEARTE?
S... SÍ CLARO.
15-9

EJEM.
BUENO... ME VOY.
SÍ.
MEL...
¿SÍ?
NO TE DEVOLVÍ EL PAÑUELO.
HUELE MUY BIEN...
COMO TÚ.

15-10

TRRRR TRRR
TRRRR
HMMMMSÍ!...
JALISCO, AY JALISCO, SOY MANUEL CALETEJO...
¡¡MANUEL!! ¡ME HABÍA OLVIDADO TOTALMENTE DE TI! ¿ESTÁ TODO BIEN?

NO, JALISCO, Y LA PUTA MADRE QUE TE PARIÓ. ANDA TODO COMO EL CULO.

15-12

MIRA, MANUEL, MANTENTE OCULTO QUE YA SALGO PARA ALLÁ.
PERO... ¿QUÉ ES LO QUE PASA ALEJANDRINA?
AY, MAMITA QUERIDA... LE RECOMENDÉ AL POBRE MANUEL CALETEJO QUE SE OCULTARA EN EL FONDO DEL TALLER MECÁNICO DE NICANORO LOPEZAZO, ENTRE LOS CIENTOS DE AUTOS DESGUAZADOS QUE HAY AHÍ...
Y... ¿PARA QUÉ DEBÍA ESCONDERSE EN SEMEJANTE SITIO?
¿CÓMO PARA QUÉ?
PARA QUE NO LO ENCONTRARA SLIVINSK, UN TIPO CONTRA EL QUE ÉL TIENE QUE ATESTIGUAR EN LA CORTE POR VARIOS ILÍCITOS...
...Y AHORA... AY, VIRGENCITA SANTA...
...Y AHORA, SLIVINSK ESTÁ AHÍ PARA MATARLO Y YO...
...TENGO QUE IR CORRIENDO A AYUDARLO, POBRE CALETEJO Y...
¡ESPERA, DÉJAME DECIR ALGO!
SI ESCONDISTE A TU AMIGO Y ESE DELINCUENTE DESCUBRIÓ SU ESCONDITE, ¿NO TENDRÍAS QUE LLAMAR AL FISCAL O A LA POLICÍA PIDIENDO AYUDA?
NO, NO, NO...
16-1

¡¡¡NADIE AUXILIA A UN MEXICANO EN DIFICULTADES EN ESTA CIUDAD, MEL.
HASTA LUEGO.
NO TE PREOCUPES, MI AMOR.
LLÁMAME PRONTITO, LA PASÉ MUY, PERO MUY BIEN CONTIGO.
W 72 TH
7 AV SOUTH
DON
WA
¡¡TAXI!!
¡AL CRUCE DE LEVINGTON! ¡TE PAGO DOBLE SI TE APURAS!

16-2

¿UNA CHICANA CON DINERO? NO ME LO CREO.
TE ADVERTIRÉ UNA COSA...
...IRÉ TAN RÁPIDO COMO PUEDA, PERO SI NO ME PAGAS DOBLE COMO ACABAS DE ANUNCIAR, GASTARÁS MUCHO PERO MUCHO DINERO EN DENTISTA.
T-15557

Y AHORA, AGÁRRATE FUERTE.
AH...
OPPS...
T-15557

16-3

SKEEEEE
M-163
¡PARA AQUÍ, GLORP!
SKREE
TOMA... HAS SIDO MUY EFICAZ.
TAX
PHO
CREO QUE ME OLVIDÉ...
VRMMMM
KEEP OUT
16-4

¡ESPERA, MI CARTERA!
MIERDA, CON LOS NERVIOS ME DEJÉ LA CARTERA EN EL TAXI.
Y NO ES QUE TUVIERA NADA DE GRAN VALOR EN ELLA, PERO...
...TRAÍA UNA PISTOLA PARA ENFRENTAR A SLIVINSK Y SU GENTE.
NICANORO LOPEZAZO
CHATARRA - AUTOS USADOS
HIERRO VIEJO
VEAMOS QUÉ PUEDO HACER.
MANUEL CALETEJO DIJO QUE LOS QUE LO BUSCAN YA ESTABAN AQUÍ.
SEGURO QUE HABLABA DESDE EL TELÉFONO CELULAR DE NICANORO ESCONDIDO BAJO ALGUNO DE LOS MIL AUTOS HECHOS MIERDA QUE HAY EN SU TERRENO.

16-5

HAN DE ESTAR TODOS EN EL FONDO, TRATANDO DE HALLARLO. EN LA OFICINA NO HAY NADIE.
HUM.
TENGO UNA IDEA. SI ME VISTO CON ESTA ROPA...
...SIMULO LA PANZA DE MANUEL...
...Y SU PELAMBRE...
...BAJO ESTE SOMBRERO...
...POR AHÍ PUEDO HACERLES CREER A SLIVINSK Y A SUS MAFIOSOS QUE YO SOY EL POBRE CALETEJO...
...POR LO MENOS, DE LEJOS.
FATE
16-6

¿DÓNDE ESTÁN, ESOS ASESINOS?
ALLÍ.

ESPERO SEGUIR TENIENDO BUENA PUNTERÍA.
¡TOMA, MIERDA!
Eh, ¿QUÉ¡¡¡?
¡KLONK!

16-7

FUE CALETEJO, SEÑOR SLIVINSK.
¡¡ BÁJENLO, QUE NO ESCAPE !!
BRAKRAKRAK
CRAM
PAW
CRAM
CRAM
PiiiNG
PEiNG
PiiiNG
HOP,,,
Y AHORA A HACER QUE ME PERSIGAN HASTA,,,

,,, HASTA EL MUELLE,,,
,,, SI LOGRO TIRARME AL MAR, CREERÁN QUE CALETEJO HUYÓ Y NO LO JODER,,,

¡UFF!

LO DETUVE, SEÑOR SLIVINSK.

16-8

¡BRAVO, YO SABÍA QUE PARA ALGO ME SERVIRÍAS ALGUNA VEZ, TOM MIX!
PERO...
¡¡... ÉSTE NO ES CALETEJO, LA GRAN PUTA!!
¡¡PERO AQUÉL SÍ!! ¡ESTA PERRA DE AQUÍ TRATÓ DE DISTRAERNOS!
¡¡BÁJENLO DE UNA VEZ!!!
16-9

AAY, CHINGADOS, ME DIERON EN LA PIERNA.
BREEEK
BRAKAKAKRAK
CRAM CRAM
PAW POW
BIEN.
BIEN.
BIEN.
AGARREN A ESTA ESTÚPIDA Y VAMOS HASTA CALETEJO.
SI LOS MATAMOS A LOS DOS JUNTOS, EL ESPECTÁCULO SERÁ MÁS GRANDIOSO.
DISCULPA, MANUEL, HICE LO QUE PUDE.
Y AHORA VAMOS A LIQUIDARLOS.
¡¡ QUIETOS TODOS !!
16-10

POLICE
76
¡ESTÁS RODEADO, SLIVINSK!
TUVISTE SUERTE, EL ASISTENTE DEL FISCAL NOS AVISÓ JUSTO A TIEMPO DE QUE ESE ASESINO QUERÍA CARGARSE A UN TESTIGO IMPORTANTE.
¿QUIÉN LES AVISÓ, DICES?
ESE ABOGADITO DE LA FISCALÍA QUE TRABAJA DE JOVEN BONITO, UN TAL MEL NO SÉ QUÉ.
MEL,,, AHORA ENTIENDO POR QUÉ ME SEDUJO JUSTAMENTE A MÍ.
PARA AVERIGUAR COSAS SOBRE EL ESCONDITE DE CALETEJO, SEGURO QUE SABÍAN QUE YO LO HABÍA OCULTADO PERO NO TENÍAN IDEA DE DÓNDE.
BAH,,, UNA VEZ QUE ME ENAMORO,,,
,,, ME VENGO A TOPAR CON UN SEMEJANTE APROVECHADOR DE MUJERES FEAS Y SOLITARIAS.
TRRR TRRR
TRRR TRRR
16-11

DIGA...
¡MEL! ¡PEDAZO DE MIERDA DE PERRO!
¡NO SIGAS FINGIENDO! ¡¡SÉ POR QUÉ ME HICISTE EL AMOR!!
FUE PARTE DE TU TRABAJO, PERO EL TRABAJO YA TERMINÓ ASÍ QUE...
... NO VUELVAS A LLAMARME NUNCA, NUNCA MÁS !!!
AY.
CON LO QUE ME GUSTABAS, MEL.
¡QUE SUERTE DE MIERDA TENGO CON LAS MUJERES!
PUTA, QUERÍA DECIRLE TODA LA VERDAD, QUE LA SEDUJE PARA SONSACARLE, PERO...
... TAMBIÉN QUERÍA DECIRLE QUE NUNCA HABÍA ESTADO CON UNA MUJER TAN MARAVILLOSA COMO ELLA EN MI VIDA.
16-12

CHICANOS

CARLOS TRILLO
EDUARDO RISSO

El cómic-book, terreno abonado para detectives

DETECTIVES DE VIÑETA

Las *Detectives stories* llegaron relativamente pronto al renovador formato del comic-book (nacido en 1933), seguramente como extensión del éxito del que disfrutaron en los años veinte y treinta los relatos policiacos de los *pulps*. Ya en 1936 encontramos un título como *Detective Picture Stories* donde, por cierto, un tal Will Eisner libraba sus primeras armas como profesional. Pero nuestra historia

empieza por el comic-book *Detective Comics*, por su longevidad (desde 1937 hasta hoy) y por ser el refugio de cientos de series policiacas, algunas de ellas básicas en la historia del medio.

Como Slam Bradley, por ejemplo. Bradley fue creado para el nº1 de *Detective Comics* por la pareja formada por Jerry Siegel y Joe Shuster (creadores de Superman), que hicieron de él un detective privado de Cleveland amante de la acción, diestro en la pelea e ingenioso en el disfraz. Tras desaparecer del mapa a finales cuarenta, reaparece puntualmente en un par de números de *Detective Comics* (el 500 y el 572), hasta que en 2001 el bueno de Ed Brubaker decide recuperarlo para este mismo título, llevándolo a Gotham City y presentándolo algo más viejo, pero

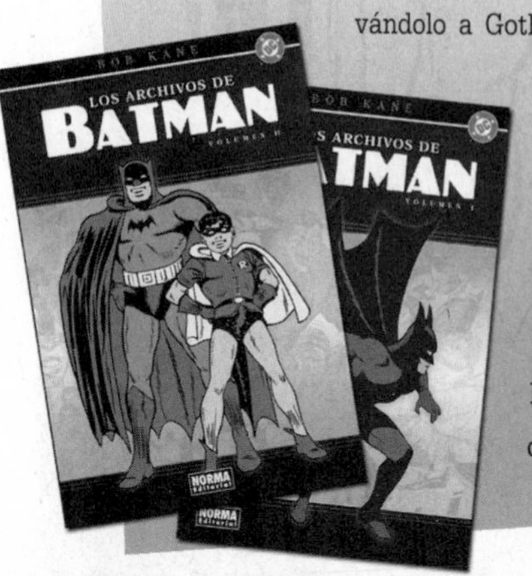

igual de inquieto y peleón; a día de hoy, el bueno de Bradley sigue paseándose por series como *Catwoman*.

De la inmensa retahíla de detectives privados o adláteres aparecidos en *Detective Comics* (resumimos, que el espacio aprieta) destaca obviamente la presencia de *Batman* (nº27, 1939, de Bill Finger y Bob Kane) que, recordemos, no es exactamente un superhéroe sino, como lo define el historiador Mike Fenton "un superdetective, un

Sherlock Holmes con capa que posee la habilidad atlética de Tarzán y el estilo dramático del popular personaje de los *pulps* La Sombra", y también la de Christopher Chance (1972, creado por Len Wein y Carmine Infantino), más conocido como Blanco Humano, el hombre que suplanta a sus clientes y se convierte en objetivo de asesinos, que recientemente recuperó su popularidad gracias al trabajo de Peter Milligan en varias producciones de la línea Vertigo.

Y ya que hablamos de Vertigo, destaquemos otras dos de sus series más policiacas: *Sandman Mystery Theatre*, otro personaje rescatado de la Golden Age (1939, Gardner Fox) que Vertigo recuperó de la mano de Matt Wagner y Guy Davis entre 1995 y 1999 respetando el espíritu vengador y justiciero de Wesley Dodds; y *100 balas* (1999), de Brian Azzarello y Eduardo Risso, un curioso argumento cuyo protagonista-enlace es un misterioso tipo cuya principal ocupación es entregar una pistola y cien balas a personas que tienen motivos de sobra para asesinar a alguien.

De la Golden Age a los comic-books para adultos

Permitidme que volvamos a la Golden Age de los comic-books, dulce época dorada también para el género policiaco. En 1942, los editores Lev Gleason y Arthur Bernhard marcan época y sientan precedente con el comic-book *Crime does not pay*. Tras tan sugerente y contundente título fueron agrupadas historietas teóricamente basadas en crímenes reales, en las que la violencia, la sangre e, incluso, algo de erotismo, imponían su ley, con guiones y dibujos de, entre otros, Charles Biro, Bob Wood, George Tuska o Dan Barry. *Crime does not pay* se convirtió en un título muy popular sobre todo después de la II Guerra Mundial (llegó a vender cerca de 400.000 ejemplares), lo que provocó que muchos editores (como Timely, la futura Marvel) imitaran su esencia, en un tiempo en el que los superhéroes andaban en la UVI.

Hay que dar otro salto en el tiempo, esta vez a principios de los años ochenta, decenio movidito en la industria del *comic-book*, que supone la aparición de editoriales independientes dispuestas a llegar a lectores adultos con tebeos adultos, esquivando la censura del Comics Code con el apéndice en portada de "*For mature readers*". En nuestro obligado resumen empezaremos por *The Maze Agency*, serie publicada por Comico en 1988, escrita por Mike W. Barr y dibujada por Adam

Hughes y Joe Staton, y protagonizada por Jennifer Mays, ex miembro de la CIA, y su novio Gabriel Webb, quienes como dueños de una agencia de detectives se concentran en casos más relacionados con la investigación que con la acción en sí misma.

Siguiendo un cierto orden cronológico, le toca el turno a un cómic negro, el *Sin City* de Frank Miller, nacido en 1991 en Dark Horse. Sobran los epítetos para adjetivar esta obra referencial, con el género negro como base, protagonizada por personajes tan tópicos pero, a la vez, carismáticos, como Marv, Dwight McCarthy o el detective Hartigan. En otra onda muy distinta, el británico Paul Grist crea en 1993 el comic-book *Kane*, un detective de la policía de la imaginaria ciudad de New Eden, personaje de probada honradez y eficacia que destaca por el interesante juego de Grist con el blanco y el negro y por su dominio de la narrativa y la creación de personajes.

Un, creo, resumido pero eficaz repaso a los *comic-books* policiacos de editoriales independientes no estaría completo sin *Top Ten*, la serie creada en 1997 por Alan Moore y dibujada por Gene Ha para el sello de WildStorm America's Best Comics, que propone un inteligente y actualizado remake de *Canción triste de Hill Street* con un grupo de policías que viven en un mundo, Neópolis, donde hasta los animales disfrutan de superpoderes.

Tres nombres propios

Este breve resumen no estaría completo sin citar las interesantes aportaciones de tres nombres que se han especializado en el género: Max Allan Collins, Brian Michael Bendis y Greg Rucka.

En 1981 nace en la revista *Eclipse Magazine* (y obtiene pronto *comic-book* propio: *Ms. Tree's Thrilling Detective Adventures*) la serie *Ms Tree*, creada por Max Allan Collins (reputado escritor de novelas del género) y Terry Beatty. Tree es una detective muy dura, en la línea del Mike Hammer de Mickey Spillane, y sus historias tratan abiertamente temas como el aborto, el incesto o la pornografía infantil. Collins es también el creador de *Mike Mist* (dibujado asimismo por Beatty), detective guaperas de Chicago cuyas historias aparecían como complemento de *Ms. Tree's Thrilling Detective Adventures*, y responsable del renacimiento de Mike Danger, personaje creado en 1946 por el escritor de novela negra Mickey Spillane que Collins recuperó en el cómic *Mickey Spillane's Mike Danger*, publicado por Tekno en 1995.

Por su parte, el nombre de Bendis empezó a sonar cuando Caliber Press le publicó en 1994 y 1995 series como *A.K.A. Goldfish* y *Jinx*, Poco después, en 1998, Bendis coescribe junto a Marc Andreyko y dibuja *Torso*, que publicada por Image sorprendió por su calidad e innovadora puesta en escena a tirios y troyanos, relatando un hecho real protagonizado por Eliot Ness. El año 2000 empezó bien para Bendis. Ya exclusivamente como guionista, crea con el dibujante Mike Avon Oeming la serie Powers, una inteligente mezcla de policiaco y superhéroes centrada en la trayectoria profesional y vital de Christian Walter, y escribe los guiones de la serie *Sam & Twitch* (personajes creados por Todd McFarlane en su serie *Spawn*), dibujada por Ángel Medina y Alex Maalev, que muestra a dos maduros detectives de la policía de Nueva York acostumbrados a resolver complejos casos casi siempre relacionados con el lado oscuro de la psique humana.

Para finalizar con Bendis, citaremos la serie *Alias* (2001), producida para la línea Max (para adultos) de Marvel Comics, y dibujada por Michael Gaydos, en la que su protagonista, Jessica Jones, ex superheroína y ex miembro de Los Vengadores, decide abrir su propia agencia de detectives; como en *Powers*, Bendis, aparte de su innata habilidad para los diálogos, propone casos relacionados con superhéroes del Universo Marvel.

Por su parte, Greg Rucka es un consumado escritor de novelas policiacas, género para el que sigue escribiendo, entre otras, las aventuras de Atticus Kodiak. Su relación con los comics policiacos se inicia con la serie de Oni Press *Whiteout* (1998), dibujada por Steve Lieber y protagonizada por Carrie Stetko, una U.S. Marshal destinada en la Antártida para, básicamente, olvidar un pasado algo confuso y turbio. Para Oni Press también, Rucka escribe la serie regular *Queen & Country*, iniciada en 2001 y basada en sus propias novelas; se trata de una serie de espionaje, protagonizada por miembros de un ficticio Servicio Secreto de la Inteligencia Británica y dibujada, entre otros, por Steve Rolston, Leandro Fernández o Jason Alexander. Rucka también ha escrito guiones para Marvel, y sobre todo para DC Comics.

En su haber, sagas de Batman e historias de Superman o Wonder Woman, pero donde más destaca su trabajo como experto en el género es en la serie *Gotham Central*, publicada desde 2003, en la que Rucka se alterna en los guiones con Ed Brubaker; su argumento se centra en la difícil tarea de los policías de la ciudad de Gotham, siempre a la sombra de Batman, con todo lo bueno y lo malo que ello supone.

Ha sido breve, pero espero que intenso.

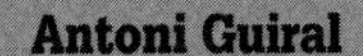